PETIT OURS MAL PEIGNÉ
ET LE BALLON ROUGE

Chris Wormell

Pastel

l'école des loisirs

Un jour, un ballon rouge
traversa les airs et atterrit aux pieds
de Petit Ours Mal Peigné.

Il donna un coup de pied dedans.

Le ballon s'envola et disparut entre les branches d'un chêne. Petit Ours Mal Peigné attendit que le ballon retombe… Mais rien ne se passa.

C'est alors qu'arrivèrent quatre lapins.
« Tu n'as pas vu notre ballon ? » demandèrent-ils.
« Un ballon ? dit Petit Ours Mal Peigné. Un ballon rouge ? »
« Oui, répondirent les lapins. Un ballon rouge…
tout brillant et tout neuf. »

«Oh ! fit Petit Ours Mal Peigné, un peu coupable.
Je crois qu'il est dans cet arbre.»
Les lapins regardèrent en l'air en attendant
que le ballon retombe… Mais rien ne se passa.

«Il doit être prisonnier des branches,
dit Petit Ours Mal Peigné. Je vais aller le chercher.
Je suis un excellent grimpeur !»

En fait, Petit Ours Mal Peigné n'avait jamais escaladé
un arbre de sa vie. C'était bien plus difficile
qu'il ne pensait. Il n'était pas encore très haut,
mais le sol lui semblait déjà très loin.

Six souris blanches avaient maintenant
rejoint les quatre lapins, et tous observaient
Petit Ours Mal Peigné en équilibre sur une branche.
«Regardez, s'écria un des lapins, je vois quelque chose
de rouge, là, au milieu des feuilles!» Petit Ours Mal Peigné
aperçut la tache rouge, et il s'avança prudemment sur
la branche. Il ne fallait surtout pas qu'il regarde en bas.

Il était sur le point d'attraper la chose rouge, lorsque…

«Que fais-tu là ? cria l'écureuil. Laisse ma queue tranquille !»
Petit Ours Mal Peigné fut tellement surpris qu'il faillit tomber
de sa branche. «Désolé. Je cherchais un ballon», expliqua-t-il.
«Je ne suis pas un ballon !» protesta l'écureuil.
«Non, non, pas du tout», reconnut Petit Ours Mal Peigné.

Et il fit demi-tour.

Un peu plus haut, Petit Ours Mal Peigné
découvrit un trou dans le tronc. Peut-être
que le ballon est entré là-dedans, se dit-il.
«Tu l'as trouvé ?» cria un des lapins.
«Presque», répondit Petit Ours Mal Peigné.

Il se pencha dans le trou, mais soudain…

«Houuu! Qui es-touuu? hulula le hibou très fâché.
Comment oses-tu fourrer ton nez dans ma chambre
à coucher au beau milieu de la journée?»
Petit Ours Mal Peigné fut tellement surpris
qu'il bascula en arrière et faillit
tomber de sa branche.

«Désolé», dit-il,
en se rattrapant
à une autre
branche.

Il continua de grimper et bientôt,
il fut si haut qu'il n'entendit plus
ni les lapins, ni les souris.
Il ne voyait même plus le sol.
Il se sentait tout étourdi.

Arrivé au sommet de l'arbre,
il découvrit un très grand nid
fait de branchages.
Le ballon est sûrement
là-dedans, se dit-il.

Il allait se hisser
jusqu'au nid,
quand…

«Au voleur ! Au voleur !» claqueta un énorme oiseau
au long bec acéré. C'était une cigogne.
«Tu veux voler mes œufs, n'est-ce pas ?»
«Non, pas du tout, je cherche un ballon», protesta
Petit Ours Mal Peigné. «Un ballon ? Il n'y a pas
de ballon, ici. Seulement des œufs.»
«Tu en es sûre ? demanda Petit Ours
Mal Peigné. Combien d'œufs as-tu ?»
«Quatre ! Je sais compter
tout de même !»

«Mais là, tu en as cinq. Et le cinquième est rouge!»
«Rouge! s'écria la cigogne. Ce n'est pas un œuf à moi, ça!»
«Non, c'est mon ballon», dit Petit Ours Mal Peigné
en le prenant entre ses pattes.

C'est alors qu'un des œufs commença à se craqueler…

et la tête d'un bébé cigogne
apparut.

Cette fois,
Petit Ours Mal Peigné
tomba pour de bon !

Il tomba,

tomba,

tomba…

de plus
en plus
vite !

Et quand il atteignit le sol…

il rebondit !

« Eh bien, j'ai pris
   un drôle de raccourci ! »
   dit-il.

Et il rebondit encore… et encore… et encore.

Cet après-midi là, tout le monde joua au foot :
Petit Ours Mal Peigné et les six souris contre les quatre lapins.

Les lapins gagnèrent par 24 buts à 23 !

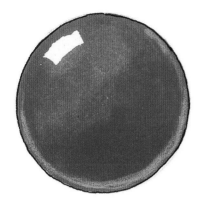

Pour Jill

© 2014, *l'école des loisirs*, Paris,
pour l'édition en langue française.
© 2013, Chris Wormell,
pour le texte et les illustrations.
Titre original : "Scruffy Bear and the Lost Ball",
Random House Children's Books, Londres.

Texte français de Claude Lager

Loi 49 956 du 16 juillet 1949,
sur les publications destinées à la jeunesse.
Dépôt légal : mars 2014
ISBN 978-2-211-21628-9

Typographie : *Architexte*, Bruxelles
Imprimé et relié en Chine